TE GAST IN **Turki**

Samenstelling en redactie
Kees van Teeffelen

Uitgeverij Informatie Verre Reizen

Colofon

Uitgave

Informatie Verre Reizen VOF

Postbus 1504, 6501 BM Nijmegen

T 024-355 25 34

E info@tegastin.nl

I www.tegastin.nl

Samenstelling en redactie, Kees van Teeffelen
Foto omslag, Lorraine Boogich/iStock.com
Vormgeving, Mike van de Mortel
Druk, 12de druk, september 2015

ISBN 978-94-6016-059-2

Andere uitgaven TE GAST IN:
Indonesië • Maleisië • Thailand • Myanmar • Vietnam • Cambodja • China • Zuid-Korea •
Japan • India • Nepal • Bhutan • Sri Lanka • Egypte • Marokko • Cyprus • Jordanië •
Iran • Oman • Israël & Palestijnse gebieden • Ethiopië • Oeganda • Tanzania • Namibië •
Zuid-Afrika • Costa Rica & Panama • Cuba • Suriname • Peru & Bolivia • Argentinië & Chili •
Rusland & Oekraïne • Australië • Nieuw-Zeeland • VS & Canada

Inhoud

De moskee van Süleyman in Istanbul – Foto: Istanbul Image/Shutterstock.com

Heleen van der Linden

Islamitische lifestyle en aardse luxe

Bepaalde de Turkse overheid lange tijd dat islam zo min mogelijk zichtbaar mocht zijn in het openbare leven, vandaag de dag zijn de rollen omgekeerd. Het hoofddoekverbod is opgeheven en veel kledingwinkels tonen luxe, islamitisch verantwoorde kleding. Deze mode past in een moderne, op islamitische waarden gerichte lifestyle.

Een cartoon toont de Turkse president Recep Tayyip Erdoğan uitgedost als islamitisch geestelijke met tulband. Vanaf de preekstoel roept hij het volk toe: "Ik bepaal wat jullie eten, of jullie wel of geen alcohol mogen drinken en hoeveel kinderen jullie moeten nemen! Wat is daar mis mee?" De cartoon laat zien hoe het publiek hem bekogelt met lege (bier)flessen en ander geschut. De spotprent is een reactie op zijn 'Drie kinderen-campagne', waarin hij vrouwen oproept minimaal drie kinderen te baren. Geboortebeperking, aldus Erdoğan, is een poging van interne en externe vijanden om de Turkse natie te verzwakken en om zeep te helpen.

Een deel van de bevolking reageerde woedend op de campagne. Een groepje jonge vrouwen in korte rokken, strakke topjes, netkousen en paars geverfd haar hield tijdens een van de vele protesten een bord omhoog met de tekst: "Drie zoals wij bedoel je?" Een ander deel van de Turkse bevolking hield zich stil, en kon zich blijkbaar wél vinden in Erdoğans uitspraken en beleid. Kortom, het lijkt alsof er in Turkije sprake is van een clash tussen een conservatief, religieus deel van de bevolking en een progressief, seculier deel. Of ligt het genuanceerder? En, kunnen vrome moslimvrouwen feministisch zijn? Of is dit voorbehouden aan vrouwen met opvattingen over feminisme zoals 'wij' die in westerse samenlevingen kennen?

Opmars AK-partij

Tijdens mijn verblijf in Istanbul maak ik kennis met Emine, een vrouw van halverwege de dertig. Ik ontmoet haar in de theetuin van de *Süleymaniye Camii*, de moskee van Süleyman, gevestigd in de voormalige gaarkeukens van het moskeecomplex van sultan Süleyman. Deze sultan regeerde van 1520-1566, stond aan de wieg van een Osmaanse Gouden Eeuw en was degene die in 1529 voor de poorten van Wenen stond. Het is dan ook niet voor niets dat niet-religieuze Turken cynische grapjes maken over Erdoğan, die zichzelf in zijn ziekelijke grootheidswaanzin zou vergelijken met sultan Süleyman; Erdoğan als zelfbenoemde nieuwe sultan van Turkije en omstreken. Dergelijke grapjes zal Emine niet zo snel maken. Voor haar is Erdoğan een soort vader-figuur, zo ontdek ik al snel tijdens ons eerste gesprek. Ze stemt al op zijn partij sinds de verkiezingen van 2002.

De *Adalet ve Kalkınma Partisi*, de Partij voor Rechtvaardigheid en Ontwikkeling, AK-partij genoemd, werd in 2001 opgericht door een aantal conservatieve politici. Zij waren het zat dat hun opeenvolgende door islam geïnspireerde partijen, zoals de *Refah Partisi*, de Welvaartspartij, elke keer weer verboden werden door de staat en besloten het dit keer anders aan te pakken. De nieuwe partij propageerde gematigder religieus-conservatieve waarden dan haar voorgangers, maar ook een (economisch) liberaal beleid. Ondanks de steeds autoritair-

dere trekjes van Erdoğan won de AK-partij tot op heden alle verkiezingen – de laatste in juni 2015 – en regeert sinds 2002 het land. Een van de redenen waarom veel kiezers op de partij blijven stemmen, is omdat zij hun toegenomen welvaart direct toeschrijven aan het beleid van de AK-partij. Dit terwijl het beleid van privatisering en liberalisering van de AK-partij een voortzetting is van het economische beleid in de jaren tachtig en negentig. Een van de meest opvallende ontwikkelingen in Turkije sindsdien, en met name sinds het succes van de AK-partij, is het ontstaan van een zelfbewuste, redelijk hoogopgeleide midden- en hogere middenklasse die veel belang hecht aan een op islamitische waarden gebaseerde levensstijl.

Hoofddoekverbod

Emine is een typisch voorbeeld van zo'n 'moderne stadse moslima'. Ze draagt een mooie wijde pantalon, een soort tuniek en een bijpassende fleurige hoofddoek, gedrapeerd op een manier kenmerkend voor dames als Emine, die uiterlijke aardse luxe combineren met innerlijke vroomheid. Haar familie komt van oorsprong uit een dorp in de provincie Kayseri – onder toeristen bekend als onderdeel van Cappadocië – en migreerde om

Moslima's mogen weer overal een hoofddoek dragen – Foto: Paul Prescott/Shutterstock.com

economische redenen in de jaren tachtig naar een buitenwijk van Istanbul. Haar vader vond via streekgenoten die al langer in Istanbul woonden een administratieve baan bij een handelsonderneming. Emine en haar twee jongere zussen waren de eersten in de familie die gingen studeren, tot grote trots van hun ouders. Emine studeerde Engelse taal en literatuur aan een staatsuniversiteit. Emine: "Dat was in de tijd van het hoofddoekverbod op universiteiten. Studentes die zich er niet aan hielden, werden bij de poort tegengehouden en gedwongen hun hoofddoek af te doen." Voor sommige studentes of hun ouders was dit een reden om niet te gaan of mogen studeren. "Maar wij waren creatief", lacht Emine, "we droegen pruiken, en bedekten op die manier toch ons haar."

De hoogste rechter in Turkije oordeelde eind jaren negentig dat er een verbod moest komen op hoofddoeken in overheidsinstellingen zoals de rechtspraak, het parlement en onderwijsinstellingen. Het oordeel was gebaseerd op de angst dat het seculiere erfgoed van Atatürk, de oprichter van de Turkse Republiek, in gevaar was en werd bedreigd door een sluimerende islamisering. Onderdeel van deze aanval op religie was dat islam zo min mogelijk zichtbaar mocht zijn in het openbare leven. Ongeveer vijftien jaar later zijn de rollen weer omgekeerd. Erdoğan en zijn AK-partij kregen het in 2010 voor elkaar dat het hoofddoekverbod op universiteiten werd opgeheven, en in 2013 het algehele verbod binnen overheidsinstellingen. Emine's dochter kan als ze gaat studeren dus gewoon haar hoofddoek ophouden.

Moslimfeministen

Na haar afstuderen werkte Emine een aantal jaar als fondsenwerver voor een internationale stichting die zich bezighield met kinderrechten. Tijdens een bijeenkomst van geldschieters ontmoette ze haar huidige man, directeur van een middelgroot bouwbedrijf. Na de geboorte van haar kinderen stopte ze met betaald werken. Emine: "Niet omdat het per se moest van mijn man, maar omdat ik vind dat de opvoeding van kinderen minstens zo belangrijk is als werken buitenshuis." Ze legt uit dat een universitaire opleiding mede ten grondslag ligt aan een goede en verantwoorde opvoeding van de volgende generatie. Deze opvatting komt veel voor onder hoogopgeleide moslimvrouwen als Emine: vrouwen die kiezen voor een rol als moeder en huisvrouw voelen zich zeker niet ondergeschikt aan mannen. Sommigen van hen noemen zichzelf moslimfeministen. Moslimfeminisme als alternatief voor de volgens hen eenzijdige en dominante 'westerse' opvatting van feminisme.

Naast de opvoeding en het huishouden helpt Emine een paar uur per week haar vriendin in een kledingwinkel in de buurt. "Gewoon, voor de gezelligheid, en om op de hoogte te blijven van de nieuwste trends." De winkel is gespecialiseerd in zogeheten *tesettür giyim*, vrij vertaald als '(hoofd)bedekkende kleding'.

Islamitisch verantwoord

Tesettür is van oorsprong een Arabisch woord en betekent: ge-
sluierd of bedekt zijn. Het is een stijl die zich kenmerkt door een
mix van luxe en islamitisch verantwoord, wat inhoudt dat het
haar bedekt is en lust opwekkende lichaamsvormen zoals benen
en borsten zijn verhuld. Vrouwen van verschillende vrome politici
en rijke zakenlieden werpen zich op als rolmodellen voor het

Tesettür-modellen

tesettür-uiterlijk: mooi ontworpen lange jurken van dure materialen in alle kleuren, met bijpassende luxe shawls of hoofddoeken, sierlijk gedrapeerd rond hoofd, nek en bovenlichaam. En de modellen in de glossy magazines lijken wel Arabische, of in dit geval Osmaanse, prinsessen. Meisjes en vrouwen die minder te besteden hebben, proberen soms met goedkope materialen dezelfde look te improviseren. Dit is precies de kritiek die tegenstanders uit het seculiere kamp op tesettür hebben. Zij vinden de huidige invloed van islam te groot in Turkije en beschouwen het als het commercieel uitbuiten van religie. Kritiek is er ook van conservatieve moslims, die het 'on-islamitisch' vinden om het vrouwenlichaam op deze uitbundige wijze te presenteren en pleiten voor meer soberheid.

Naast mode, staat tesettür voor meer; het staat voor een complete lifestyle, een ideologie, en zelfs een tegenbeweging gericht tegen de volgens sommigen goddeloze westerse dominantie. Zo zijn er in Turkije bijvoorbeeld tesettür-restaurantketens, -hotels en -vakantiedorpen. Wie even googelt stuit op ronkende reclameslogans die idyllische plekken aanprijzen met teksten als: 'U bent van harte welkom op onze alcohol- en discovrije locaties, speciaal voor nette, conservatieve gezinnen die niet van rumoer en wanorde houden.' En: 'Wij bieden ook geschikte faciliteiten voor tesettür-dames die apart willen zwemmen.' Kortom, wat sommige Turken ook mogen vinden van landgenoten die hun religie serieus nemen, het argument dat ze niet van het leven kunnen genieten, snijdt geen hout. Dat beaamt ook Emine. Ze heeft met haar gezin voor de nazomer een luxe vakantie geboekt in een 'verantwoord' resort in Antalya, aan de Turkse Zuidkust.

Caroline van Ommeren

Streetfood in Istanbul

In traditionele *lokanta's*, in trendy restaurants of op het terras van een visrestaurant aan de Bosporus: eten als een sultan kan nog steeds in Istanbul. Maar ook dwalend door de stad, in informele eethuisjes en bij stalletjes op straat kun je heerlijk eten. Reisbegeleidster Caroline van Ommeren beschrijft haar zoektocht naar verrassende lekkernijen.

"Taze simit, taze simit!", klinkt het luid door de straat. Al vroeg in de ochtend prijzen verkopers verse simit aan, ringvormige sesambroodjes, volgens Osmaanse traditie gebakken in de kleur van 22-karaats goud. De broodjes zijn populair als snel ontbijt, maar ook geliefd als snack op elk tijdstip van de dag. Met een knapperige simit wandel ik over de Galatabrug, de verbinding tussen de twee Europese delen van Istanbul, af en toe een zwiepende hengel ontwijkend. Weer of geen weer, altijd turen hengelaars hier naar hun dobbers in het water van de Gouden Hoorn.

Een veerboot brengt mij van de deelgemeente Eminönü, het oudste Europese gedeelte van de stad, naar Aziatisch Istanbul. Aan de kade van Kadıköy tref ik twintig minuten later mijn gids Aysel. Ze heeft beloofd haar favoriete eetadresjes met mij te delen. "Veel toeristen blijven in Europa, maar juist hier vind je het echte Istanbul en het lekkerste eten", zegt Aysel. Onze culinaire zoektocht begint in de bakkerij van Güllüoğlu, de 'zoete koning' van Turkije. Die eretitel draagt hij niet voor

niets. Zijn *baklava* bestaat uit veertig laagjes flinterdun deeg, honingsiroop en noten en smelt op mijn tong. Bij baklava hoort *kahve*, Turkse koffie. "Zo zwart als de hel, zo sterk als de dood en zo zoet als de liefde." En, wie de kunst van koffiedik-kijken verstaat, kent de toekomst. "Jouw zeer nabije toekomst bestaat uit lekker eten", voorspelt Aysel.

In de specialiteitenzaken van Kadıköy voelt iedere kookliefhebber zich als een kind in een snoepwinkel. Aan de plafonds bungelen lange strengen met worstjes, paprika's, pepers en gedroogde aubergines. De mooiste kazen en olijven lachen ons vanuit de vitrines toe. En voor elke oude man die ervan droomt zijn 'jeugd' terug te krijgen is er honing met pistachenoten. 'Natuurlijke viagra', aldus het etiket. In een van de winkels van Hacı Bekir, suikerbakkers sinds Osmaanse tijden, snoepen we van het Turks fruit. *Lokum* maken is hier al eeuwenlang een familietraditie. "Suiker en honing verdrijven verdriet en symboliseren geluk, en wie van zoet houdt, is gelukkig in Istanbul", lacht Aysel.

'Natuurlijke viagra' - Foto's: Caroline van Ommeren

We struinen over de markt bij de Osman Ağa Moskee, langs kraampjes met seizoensgroenten, geurige kruiden en specerijen. Een vrouw beladen met volle boodschappentassen onderhandelt over de prijs van een schapenkop voor in de soep. Ook Aysel doet het liefst haar boodschappen op de markt. "Alles is hier kraakvers. Vis en zeevruchten komen rechtstreeks van de boot op de markt."

Geroosterde darmen

Het is lunchtijd. De geur van geroosterde *döner kebap*, *köfte* en *lahmacun*, het Turkse antwoord op Italiaanse pizza, vult de straten. Samen delen we een *kıymalı gözleme*, een pittig gekruide pannenkoek met lamsgehakt. Gözleme is een echte straatsnack en wordt ook gevuld met spinazie, aardappel of kaas. Bij een *çorbacı*, een eethuis waar uitsluitend soep wordt geserveerd, smullen de klanten van *işkembe çorbası*, een soep op basis van schapenpens en knoflook. Als ik bedenkelijk kijk, doet Aysel er een schepje bovenop: "Proef vanavond maar eens *kokoreç*, geroosterde darmen van schaap of – nog lekkerder – van lam. Mensen hier zijn er gek op."

Met een boemeltrammetje gaan we naar de wijk Moda, aan de Zee van Marmara. In de beroemde ijssalon van Ali Kumbasar wordt *Maraş dondurması* gemaakt, in wel dertig verschillende smaken. Het ijs heeft *sahlep* als basis, meel van orchideeën-wortels dat als bindmiddel werkt. Verdund met geitenmelk en gezoet met sinaasappelbloemen en rozenwater is sahlep een traditionele winterse drank, die tegenwoordig ook in poeder-vorm te koop is. "Het ijs is per toeval ontstaan omdat een pot sahlep in de kou bevroor", zo vertelt de broer van de eigenaar. Het zijn sterke mannen die het ijs bereiden; Maraş dondurması

Vis bakken op de Bosporus – Foto: Caroline van Ommeren

heeft een toffeeachtige structuur en wordt met lange ijzeren staven omgeschept. Door de taaiheid kun je het zelfs eten met mes en vork, als geitenkaaskauwgom met een fruitig smaakje.

Makreel uit Scandinavië

"Vergeet niet om kokoreç te eten!", roept Aysel mij nog na als de veerboot vertrekt. Terug in Eminönü is de namiddagdrukte losgebarsten. IJs- en snoepverkopers strijden om klandizie met venters van geroosterde maïskolven, pompoenpitten en gebrande noten. Jongens met dienbladen thee ontwijken behendig het winkelend publiek en de massa haastige forensen, op weg naar veerboot, metro of bus. Op schommelende boten wordt vis gebakken door mannen met zeebenen en gehuld in 'traditionele' Osmaanse kledij. "Nee, geen verse *balık*, vis, uit de Bosporus, maar geïmporteerde makreel uit Scandinavië", vertelt een Turks-Nederlands echtpaar. De diepgevroren geïmporteerde makreel is stukken goedkoper dan die uit de Turkse wateren. "Hierbij drinken wij *turşu suyu*." En ze bieden mij gastvrij een glas aan. Het drankje zit vol met gepekelde groenten en ingemaakt zuur, dat je er met een prikkertje uitvist. Bij de eerste slok schrik ik even van de azijnsmaak. Na slok twee ben ik een liefhebber geworden. "Als je vanavond *rakı* drinkt, moet je morgen beginnen met een glas turşu suyu", krijg ik als raad mee.

Aan de overzijde van de Gouden Hoorn ligt het andere Europese deel van Istanbul, met zakenwijken, luxe winkels en uitgaansgelegenheden. Tot in de kleine uurtjes kun je in de winkelstraat Istiklal Caddesi een portie *midye dolması* eten, met rijst gevulde mosselen in olijfolie. Maar zo laat is het nog niet. Het is tijd voor *meze*, kleine hapjes die met Spaanse tapas te vergelijken zijn. Meze is volgens de overlevering ontstaan in het paleis van de Osmaanse sultan: van elk gerecht werd een beetje voorgeproefd ter controle op vergif. In een *meyhane*, taverne, heb ik afgesproken met mijn reisgenoten, want meze eet je niet alleen. Op onze tafel verschijnen schaaltjes met aubergine- en kikkererwtenpuree, inktvisringen, gevulde wijnbladeren en *sigara böreği*, langwerpige deegrolletjes met kaas en kruiden. De hapjes zijn niet alleen lekker, maar verzachten ook het effect van de rijkelijk vloeiende rakı.

En na de meze en rakı ligt de avond nog voor ons. Echte nachtbrakers eten eerst *kumpir*, gepofte aardappel met boter en kaas. Kumpir 'complet' met olijven, augurken, bonen en een flinke schep mayonaise of ketchup legt een stevige basis voor een avondje uit. En de kokoreç? Die moet wachten tot een volgend bezoek.

Poëzie op het bord

In de Turkse keuken is een aantal gerechten vernoemd naar
een oud verhaal of een loflied op het vrouwelijk schoon. Hierbij
enkele mooie voorbeelden:

De 'Imam valt flauw' als hij hoort hoe rijkelijk de kostbare olijfolie in *Imam bayıldı* is gebruikt. Of misschien komt het door het
royale gebruik van knoflook in deze aubergineschotel?
Nog pikanter is *kadın budu köfte*, heerlijk gekruid lamsgehakt
dat associaties oproept met wulps gevormde 'damesdijen'.
Om het diner stijlvol af te sluiten is er *Aşure* of 'Noah's nage-
recht'. Deze zoete dessertsoep is op de Ark van Noah uit nood
geboren en gemaakt van noten, gedroogd fruit en tarwekorrels.
De schoonheid van de vrouw wordt ook in deegvorm bezongen
door *dilber dudagi*, de 'zoete lippen van een mooie vrouw' en
door *hanım göbeği* , een soort donuts die poëtisch als 'dames-
navels' zijn.

Elsbeth Jongsma

Lokale boeren blij met wandelaars

De term 'Turkse zuidkust' wekt bij veel mensen associaties met all-inclusive vakantieresorts en stranden vol bakkende toeristen. En dat terwijl de streek tussen Dalaman en Antalya de meer sportief ingestelde reiziger een ongekende wandelervaring biedt in een landschap vol afwisseling.

Het is warm en de route loopt hier en daar verrassend steil. Nog een klein stukje klimmen en dan worden de inspanningen beloond met een prachtig uitzicht over de Middellandse Zee. Vanaf dit punt is goed te zien waarom dit schiereiland aan de Turkse zuidkust met zijn prachtige baaitjes door de eeuwen heen een magneet vormde voor zeevarende volkeren. Een daarvan waren de Lyciërs, die zich bezighielden met overzeese handel en een snufje piraterij. Dat klinkt nogal Asterix en Obelix-achtig, maar de Lyciërs waren een hoog ontwikkeld volk met veel politieke macht dankzij een sterke onderlinge stedenbond. Hun sterke positie werd bevestigd toen de Romeinen dit gebied inlijfden en Lycië een min of meer onafhankelijke provincie kon blijven. Wanneer je nu door slaperige plaatsjes als Patara wandelt is het vreemd je te bedenken dat hier ooit een van de machtigste zeehavens van het Romeinse rijk was gevestigd. Nog altijd zijn er veel archeologische overblijfselen te bewonderen langs de *Lycian Way*, de ruim 500 kilometer lange wandelroute die in de jaren negentig werd uitgezet door de Britse Kate Clow. Na haar verhuizing naar Turkije was ze teleurgesteld over het gebrek aan wandelopties in haar nieuwe thuisland. Toen een Turkse bank een wedstrijd uitschreef om 'een interessant project te sponsoren' diende zij het idee in voor het eerste Turkse lange afstand wandelpad. Ze deed er vijf jaar over om de route te ontwikkelen, waarbij ze zoveel mogelijk oude voetpaden met elkaar verbond. En hoewel een groot deel van de route over simpele, smalle geitenpaadjes lijkt te gaan, zie je soms resten bestrating die dateren uit de Griekse, Romeinse, Byzantijnse en Osmaanse periodes. Ook passeer je regelmatig de uit steen gehouwen huisvormige graftombes die zo typerend waren voor de Lyciërs, voor wie het hiernamaals belangrijker leek dan het aardse bestaan.

Curieus tijdverdrijf
De Lycian Way, die steeds meer buitenlandse wandelaars naar deze regio trekt, is een vorm van toerisme die tot voor kort onbekend was in Turkije. De oudere generatie Turken vindt het

Graftombes van de Lyciërs – Foto: Olena Rublenko/iStock.com

'wandelen voor de lol' nog steeds een curieus tijdverdrijf, maar de meeste mensen zien inmiddels de voordelen van de toenemende populariteit. Omdat de totale route zo lang is dat slechts een klein percentage wandelaars de tijd en het uithoudingsvermogen heeft de hele tocht te lopen, is het nergens echt druk. De eerste keer dat ik deze route liep was in de winter van 2006. We hadden een tentje bij ons en dat was maar goed ook, want de meeste accommodaties waren gesloten. De vermaarde Turkse gastvrijheid bleek gelukkig niet seizoensgebonden. Wanneer we vroegen of we onze tent op hun land mochten opzetten, werden we regelmatig door families uitgenodigd om mee te eten. Dat onze Turkse woordenschat en hun kennis van het Engels of Duits beperkt was, mocht de pret niet drukken. Schoenen uit en vervolgens met de hele familie op de grond eten uit een grote ronde schaal. Gevolgd door een hilarische conversatie met behulp van ons woordenboek en vrijwel altijd eindigend met het doorbladeren van het onvermijdelijke fotoalbum met de bekende hoogtepunten: huwelijken, geboortes en (klein) kinderen trots poserend in hun blauwe schooluniform.

Wandeling met veel afwisseling

Ik ben sindsdien vaak teruggekeerd om hier te wandelen. Deze keer heb ik maar twee weken de tijd en kies ik voor het eerste deel van de route: tussen Ovacık en Patara. Het is een heel gevarieerd stuk waarbij je niet alleen verschillende landschappen doorkruist (van prachtige zandstranden tot ruig begroeide berghellingen), maar waarin je ook een culturele reis door de tijd maakt. Tijdens de eerste wandeldag baan ik me een weg door de rijen bakkende toeristen op het populaire strand van Ölüdeniz. De verleiding is groot om met mijn zware rugzak neer

Uitzicht op het strand van Ölüdeniz - Kevinr4/Shutterstock.com

te ploffen op het strand. Helaas kom ik dan nooit op tijd op mijn avondbestemming aan, dus beperk ik me tot een ijsje. Wanneer ik de boulevard met eettentjes en prullariawinkels achter me heb gelaten en enkele kilometers landinwaarts ben gelopen, lijkt de tijd te hebben stilgestaan. Hier geen posters voor *Ibiza style foam parties* maar houten bijenkasten. En geen lawaaiige strandgangers maar kuddes nieuwsgierige geiten die op de steile hellingen worden gehoed.

Olijfboomgaarden worden afgewisseld met kleine graanakkers. In het voorjaar is het hier een kleurige bloemenzee met een hoofdrol voor knalrode klaprozen. Het is een korte, maar heftige bloeiperiode voordat het landschap weer de gedekte kleuren van de maquisbegroeiing aanneemt. Hoewel de rotsige hellingen anders doen vermoeden, is het grootste deel van het land verrassend vruchtbaar. Daarvan getuigen de lokaal verbouwde producten die ik proef in de maaltijden die ik onderweg krijg geserveerd. Veel mensen die langs de route een accommodatie voor wandelaars zijn begonnen, hebben eigen land waarvan een deel voor een moestuin of boomgaard is gereserveerd.

Inkomen voor lokale boeren

Het valt me ook nu weer op hoeveel de Lycian Way bijdraagt aan de lokale economie. Hier geen agentschappen van tour-operators of sterrenhotels die het grote geld binnenhalen. Op traditioneel populaire plekken langs de route, zoals Olympos of Kaş, kun je al sinds decennia kiezen uit een breed scala aan kleinschalige logiesmogelijkheden. In de meer afgelegen plaatsen profiteren niet alleen de dorpswinkels van de wandelaars die hier hun inkopen doen. Ook lokale boeren hebben de route ontdekt om wat extra inkomen te genereren. Dat varieert van het openstellen van een provisorisch terras waar de wandelaar sinaasappelsap van eigen boomgaard krijgt aangeboden, tot veranda's die tot logeerplek zijn omgebouwd.

Zoals het *pansyon* dat wordt gerund door Ramazan en zijn vrouw Hayder in Gey. Dit dorp ligt meer landinwaarts en de met keien bezaaide akkers bewijzen dat het hier nooit een makkelijk bestaan is geweest. Een groot deel van de bevolking is de laatste decennia naar de Esen-delta bij Patara verhuisd waar een groot kasbouwproject aan duizenden mensen werk biedt. Waar ik een paar jaar geleden op een dun matrasje in de ontruimde woonkamer van de gastvrije familie logeerde, wordt me nu een comfortabel bed in een speciaal daarvoor gebouwde gastenkamer op het dak aangeboden. Het hele gebouw is nu ter beschikking van wandelaars en het gezin woont in het huis er tegenover. Een bureautje gespecialiseerd in kampeerarran-

Lokale bevolking speelt in op het toerisme
Foto's: David Wilks

gementen heeft voor de nacht tenten opgeslagen op het erf. Ik
word samen met een groep Duitse wandelaars en hun Turkse
reisleider uitgenodigd met hen mee te eten. We warmen ons
aan het vuur dat Ramazan met zichtbaar genoegen extra hoog
opstookt. Zijn vrouw en kinderen komen er ook gezellig bijzit-
ten. Dankzij de reisleider kunnen we een echt gesprek voeren.
Het is grappig om te zien dat de kinderen, die tijdens mijn
eerste bezoek nog zo verlegen waren, nu volop aanwezig zijn.
Ramazans zoon gaat inmiddels naar de middelbare school en
ik ben vereerd als hij me de familie-laptop laat zien die hij voor
school moet leren gebruiken. Wanneer ik hem vraag wat hij later
wil worden, antwoordt hij met een ernstig gezicht: "Ik word
dokter en anders … wandelgids."

Ellis Flipse

Een regen van olijven

Aan het einde van de herfst, als de rust in de badplaatsen is weergekeerd, begint voor een groot deel van de bevolking in het westelijk Middellandse Zeegebied juist een drukke tijd van hard werken en vroeg opstaan. Ellis Flipse woont al enkele jaren in deze regio, en gaat dit jaar een aantal dagen helpen met de olijvenoogst.

Ik sta te bibberen aan de wasbak, half zeven en geen warm water. Het duurt zeker tot de middag voordat de zon kans ziet het water via de zonneboiler op temperatuur te krijgen. Snel schiet ik in mijn oude spijkerbroek, T-shirt en sweater voor mijn dag in de bergen en loop richting de keuken. "Goedemorgen Ellis, goed geslapen?" Gül wacht mijn antwoord niet af. "Ik ga nu de koe melken en de kippen voeren." Ze pakt een emmer en loopt naar buiten. Ik neem een kop thee en stap het donkere erf op. Het is fris voor december.

Vandaag ga ik mee olijven oogsten. Normaal zie ik dit op afstand gebeuren, maar omdat mijn huis wordt verbouwd, logeer ik momenteel een paar dagen bij Gül. Zij was het die als eerste contact met me zocht toen ik in dit Turkse boerendorp kwam wonen.

De olijvenoogst is heel belangrijk voor deze regio. Het westelijk Middellandse Zeegebied is na het Egeïsche gebied de belangrijkste olijfproducent van Turkije. In totaal staan er ongeveer 140 miljoen olijfbomen in het land. Tachtig procent van de oogst wordt gebruikt voor het winnen van olijfolie, de rest is voor con-

Foto: Caroline van Ommeren

sumptie. Bijna de helft van alle olijven die in de Europese Unie
worden gegeten, is van Turkse bodem.

Stapel zakken en takken

Nippend aan mijn thee kijk ik in het rond. Rechts van het huis is
de buitenkeuken, een bouwsel van hout en golfplaten. Vaag kan
ik de oude koelkast en de kookplaats onderscheiden. Verderop
staan de wrakke stal van de koe en de oude schuur, opgetrokken
uit natuursteen. Güls broer Ali, die in het kleine huis achter dat
van Gül woont, is al met de boerenwagen in de weer. Gül komt
voorbij met haar koe aan een touw. Ze loopt naar het hek en
kijkt de koe na, die gretig het steile pad afloopt om een hele dag
vrij door de omgeving te scharrelen. Ik loop naar Ali die worstelt
met een enorme stapel zakken. "Kan ik ergens mee helpen?" "Al
deze spullen moeten op de kar, als je dat wilt doen? Dan ga ik
nog een paar takken zoeken." Geen idee waar hij het over heeft,
maar de stapel zakken, manden en tassen naast de wagen spreken
voor zich. Ik zet mijn theeglas weg en laad het allemaal op. Als

ik terugloop naar het huis zie ik Ali hoog in de notenboom een paar takken afhakken. "Leg die er ook maar op." Hij gooit ze naar me toe en komt voorzichtig naar beneden.

"Komen jullie?" Ali's vrouw Melek roept ons voor het ontbijt. Even later zitten we met zijn vieren op de grond, rondom een dienblad van wel een meter doorsnee. Daarop staat het ontbijt: schaaltjes gekookte eieren, tomaten, olijven, zelfgemaakte kaas en boter. Melek scheurt een stuk grof brood af en geeft het aan mij. Ik zie dat de anderen gewoon op het dienblad hun ei pellen en uit de schaaltjes pakken wat ze willen. Onwennig doe ik het ook maar zo. "Ik hoop dat Tuba en Mehmet het brood niet vergeten", zegt Gül. "Niets is zo lekker als knapperig stadsbrood na een ochtend hard werken." Tuba is de oudste zus van Gül en getrouwd met Mehmet, een pensionhouder uit Dalyan. Vanuit de verte hoor ik hun oude Jawa al met een hoop kabaal aankomen.

Hellingen met olijfbomen

Ik zit ongemakkelijk tussen Tuba en Gül op de boerenkar. Hij klappert en schudt vanwege de vele stenen en putten in de onverharde weg. We gaan zo steil omhoog dat ik me goed moet vasthouden om niet van de wagen af te glijden. Net als de andere vrouwen heeft Gül haar hoofddoek voor haar gezicht geknoopt, alleen haar ogen zijn onbedekt. Ik voel me een buitenbeentje, de vrouwen zien er allemaal hetzelfde uit met hun wijde, gebloemde broeken en zelfgebreide truien. Om me heen glijdt het dennenbos, dat het dorp omringt, aan me voorbij. Het ruikt heerlijk. Na drie kwartier zet Ali de tractor stil en iedereen stapt af. We staan boven op een bergkam.

Ik strek mijn rug en geniet van het moment. Voor mij, steile hellingen met olijfbomen die aflopen naar de Middellandse Zee, een paar honderd meter lager. Prachtig blauw water dat zich zo ver uitstrekt als ik kan kijken. Achter mij lopen de bergen verder omhoog. Ik hoor de bellen van de vele geiten die zich ophouden in de bergen. Er klinkt een schorre schreeuw, ik kijk op en zie hoe een enorme arend hoog boven mijn hoofd cirkelt. Gül pakt twee rieten manden van de wagen en drukt ze in mijn handen, zelf neemt ze de twee zware boodschappentassen. "We moeten de spullen dragen, de trekker kan niet verder." Ali loopt voorop over de voor mij onzichtbare, smalle rotspaden. Onderweg zien we dorpsbewoners die al aan de slag zijn. Ik hoor hoe ze elkaar *kolay gelsin*, 'werk ze', toewensen en de laatste nieuwtjes uitwisselen. Eindelijk stopt Ali, we zijn er. Onder het genot van een sigaret overleggen de mannen waar ze het beste kunnen beginnen. Zodra ze het eens zijn, nemen ze de soepele lange stokken en klimmen behendig als kwajongens in de olijfbomen. Ze tikken de olijven uit de bomen door met de soepele stokken tegen de uiteinden van de takken te slaan. Het regent werkelijk olijven. Nu pas snap ik waarom Ali in de notenboom klom.

Man plukt olijven – Foto: Berna Namoglu/Shutterstock.com

Pijn in de rug

"We gaan beginnen", zegt Gül en ik volg haar naar een van de bomen waarvan alle olijven al op de grond liggen en begin te rapen. Al snel ga ik helemaal op in mijn werk. We rapen enorme hoeveelheden bij elkaar. Van sommige bomen komen wel twee of drie zakken van dertig kilo. Elke honderd kilo geeft ongeveer twintig liter olijfolie. Ze zullen zeker twee of drie maanden werk hebben om alle olijven te oogsten. Er zijn dorpelingen die wel tien hectare berg bezitten. Ik krijg voor een dag werk vijf kilo olijven of tweeënhalve liter olie betaald. Op deze manier kan iedereen zonder olijfboomgaarden de voorraad voor het komende jaar op peil brengen. En wat men te veel heeft, wordt doorverkocht aan familie en vrienden. Ik heb al snel geen nagelriemen meer over vanwege de ruwe stenen waar de olijven tussen liggen. Door het bukken op de steile helling krijg ik al na een uur pijn in mijn rug. Hoe kunnen deze mensen dit maandenlang volhouden? Na een tijdje hangt er overal kleding in de bomen. Ook Gül doet haar dikke trui uit en haar hoofddoek af, ze schudt haar lange haar los. De zon, die snel in kracht toeneemt, geeft het een mooie glans.

Heerlijke lunch

Voor ik er erg in heb is de ochtend voorbij: tijd om te lunchen. Terwijl de mannen een sigaret roken, zetten de vrouwen de lunch klaar. Als gast hoef ik niets te doen. Gül spreidt een groot geruit kleed uit over de grond. Melek heeft koude boontjes in knoflook met azijn en witte bonen in tomatensaus meegebracht. Gül pakt gebakken aubergines in yoghurt en een tomatensalade uit. Van haar moeder kreeg ze een doos vol *sigara böreği* toegestopt, knapperige deegrolletjes met kaasvulling. Samen met het

Olijven verzamelen – Foto: Ellis Flipse

verse brood dat Tuba heeft meegebracht, ziet het er geweldig uit. Al snel zit iedereen ontspannen, vrolijk pratend en genietend van de omgeving te smullen. Na een uur komt iedereen kreunend van stijfheid overeind om weer aan het werk te gaan.

Nu ik weet hoe het olijven verzamelen in zijn werk gaat, zoek ik een rustige plek. Het is heerlijk om mijn gedachten de vrije loop te laten terwijl mijn handen automatisch hun werk doen. Voor ik het weet is het vier uur en tijd om ermee te stoppen voor vandaag. Zodra iedereen de truien en vesten uit de bomen heeft gehaald, gaan we dezelfde weg terug. We zetten de volle zakken olijven bij de andere die eerder deze week zijn gevuld. Om half zes rijden we het erf weer op. Inmiddels is het zo goed als donker. Iedereen is moe na deze dag, maar blij dat de oogst zo goed is dit jaar.

Luchtballonnen boven Cappadocië – Foto: Olena Tur/Shutterstock.com

Danielle North

Bewoners verlaten grotwoningen

Al voor de valleien en dorpen van Cappadocië in het zachte gloed
van de eerste zonnestralen baden, is het hier een en al bedrijvigheid. In alle vroegte wordt de stilte van dit wonderlijke gebied
doorbroken door het gesis van branders die wel honderd luchtballonnen vullen met hete lucht. Eromheen drentelen uitgelaten
passagiers die niet kunnen wachten om in het mandje te klimmen
en op te stijgen.

Het is nog fris zo vroeg in de ochtend. Op de laag groeiende
druivenstokken ligt nog wat dauw. Ik wandel door *Kılıclar Vadisi*,

de Vallei van de Zwaarden, dat zijn naam dankt aan de puntige, tufstenen rotsformaties die hier overal te zien zijn. Het is heel begrijpelijk dat ieder jaar steeds meer mensen naar Cappadocië komen om het wonderschone 'maanlandschap' en grotkerken uit de Byzantijnse periode te bewonderen. Op deze vroege ochtend kom ik een enkele dorpeling tegen die op weg is naar zijn nabijgelegen moestuin. Het eroderende landschap wordt op dit tijdstip vooral vanuit de lucht aanschouwd. Hete luchtballonnen glijden zachtjes over de toppen van de rots-pinakels.

Uitgebreid ontbijt

Ik ben op weg naar Ibrahim, die mij heeft uitgenodigd om samen met zijn familie te ontbijten. Deze lange man met pretogen beheert een kleine café aan het begin van de befaamde Rode Vallei waar de rotsen rood oplichten als de zon laag aan de hemel hangt. Als ik aankom, begint het al aardig warm te worden. Ibrahim en zijn vrouw begroeten me hartelijk en leiden me naar de tafel die volstaat met een feestelijk ontbijt. Kleine gekleurde schaaltjes gevuld met huisgemaakte jam, tomaten en pepers uit eigen tuin, en zelfs honing van eigen bijen. De schoonmoeder van Ibrahim, op de hielen gevolgd door haar kleinzoon, komt aanzetten met vers geplukte tomaten. Rond de grotten waarin het cafeetje is gehuisvest, verbouwt de familie al generaties lang groente en fruit. Vroeger kwamen ze uit het dorp hierheen gereden met een ezelkar, vertelt de oude vrouw wiens witte haar onder haar hoofddoek uitsteekt. "Vooral in het voorjaar als het geregend had, werden de kleine wegen moeilijk begaanbaar door de modder", zegt ze wijzend naar een steil pad in de verte. "Maar nu rijden ze er met de auto in tien minuten heen, weer of geen weer."

Opslag voor citroenen

Na een overdadig ontbijt en nadat ik meerdere malen beloofd
heb om spoedig terug te komen, maak ik me op voor een
wandeling naar Ortahisar, het dorp waar Ibrahim en zijn familie
vandaan komen. Op het centrale plein stop ik voor Turkse koffie
bij een van de kleine theehuizen. Ik raak er aan de praat met
een jonge man aan de tafel naast mij, die een citroenverkoper
uit Mersin blijkt te zijn. Net als veel andere handelslieden uit
zijn streek gebruikt hij de grote koelcellen, die in en rondom
Ortahisar uit de rots zijn gehouwen, om zijn handelswaar op
te slaan. Zijn collega's zijn net bezig met het inladen van een
vrachtwagen. Of ik het leuk vindt een kijkje te nemen? Terwijl

Opslag van citroenen in grot – Foto: Danielle North

ik het koffiedik ongelezen in mijn kopje achterlaat, begeven we ons even later naar een lager deel van het dorp waar meerdere vrachtwagens voor een rotswand geparkeerd staan. De citroen-verkoper leidt me een enorme ruimte binnen die volledig uit de rots is gehakt. In deze grot blijft de temperatuur constant rond de 13° Celsius, ongeacht de temperatuur buiten. "Dat maakt deze ruimtes ideaal voor het bewaren van groente en fruit", legt mijn gastheer uit. Het verschil in temperatuur met buiten is echt groot, en ik ben blij als ik even later weer buiten sta en me kan opwarmen in de zon.

Vier generaties in een grot

Ik dwaal verder door de kronkelige straten van het dorp. De hitte neemt in intensiteit toe nu de zon zijn hoogste punt heeft bereikt. Behalve een oude man die op een ezel voorbij draaft, is het uitgestorven op straat. In de schaduw van een boom sta ik stil om de voorkant van een huis te bewonderen dat versierd is met reliëfs. Een vrouw steekt haar hoofd uit het naastliggende huis en kijkt me onderzoekend aan. Het pand is te koop zegt ze, of ik misschien geïnteresseerd ben? Ik moet lachen bij de gedachte om in een grot te wonen. Als ik vertel dat ik uit Ne-derland kom, staat ze erop dat ik even bij haar binnenkom. De koelte van haar grotwoning is op dit uur van de dag aangenaam. Trots toont ze mij een foto van een jonge vrouw, haar dochter, die in Nederland woont. Ik vraag of ze meer kinderen heeft. Ze zucht. Al haar kinderen zijn inmiddels volwassen en wonen niet meer in de buurt. Nu deelt ze het huis alleen nog met haar man en vader. "Toen ik pas getrouwd was en mijn eerste kind had, woonden we hier met vier generaties. We deelden de kamers rondom de binnenplaats die uit de rots zijn gehouwen", vertelt ze. En daar was ook plaats voor een ezel en koe. Terwijl ik de vrouw naar de keuken volg, biedt ze me *ayran* aan. "Vroeger maakten we dat zelf, maar nu zijn we te oud om koeien te houden, dat is veel werk", zegt ze hoofdschuddend. Wel verzorgen haar vader en man de druivenstokken zodat ze straks *pekmez*, melasse van druivensap, kunnen maken.

Traditioneel gerecht

Ik merk op dat het zo rustig is in het dorp en ze vertelt me dat veel mensen uit de buurt hun oude huizen aan zakenlieden en buitenlanders hebben verkocht en nu in moderne appartementen aan de rand van het dorp wonen. Zij wil echter niet weg uit het huis waar zij het grootste gedeelte van haar leven heeft gewoond en zoveel heeft meegemaakt. Dit is haar wijk, en ze wil hier blijven tot aan haar dood. Door het open raam wijst ze naar de binnenplaats waar een aardewerken pot midden tussen smeulende kolen staat. "*Fasulye, fasulye*", herhaalt ze: witte bonen in tomatensaus, een traditioneel streekgerecht dat gedurende vele uren langzaam wordt gegaard in een aardewerken pot waardoor het extra smaak heeft. "Ik maak tegenwoordig vaak gebruik van een snelkoker, maar dit is toch veel lekkerder", verzekert ze mij. Als ik aan het eind van de middag terugkom kan ik zelf proeven hoe lekker dat is. Ik moet haar aanbod helaas afslaan want het wordt tijd om huiswaarts te keren.

Van grotwoning naar nieuw appartement

De zon staat al laag aan de horizon als ik weer in de buurt van Göreme ben. Ik kom aan in het nieuwe gedeelte dat voornamelijk uit moderne appartementen van twee of drie etages bestaat. Bij een speelplaats vol felgekleurde klimrekken en schommels

Hotel in grotwoning – Foto: Psvrusso/iStock.com

pauzeer ik even op een bankje. Hier kan ik nog een keer van het uitzicht genieten voordat het sprookjeslandschap wordt opgeslokt door de duisternis. Opeens staat een giechelende meid voor me en vraagt waar ik vandaan kom? Haar donkere ogen glinsteren van plezier als ze een blik opzij werpt naar haar vriendin. "En, wonen jullie hier in de buurt?" vraag ik op mijn beurt. Ze wijzen naar een huis aan de overkant van de speel-plaats. Pas sinds een jaar wonen zij hier, daarvoor woonden ze aan het andere kant van het dorp, maar hun oude huis is nu een hotel. Vonden ze het erg om te verhuizen? Ze halen hun schou-ders op en beginnen vervolgens druk met elkaar te kwebbelen. Ze komen snel tot de conclusie dat het hier beter is. "Nu wonen we bij elkaar om de hoek waardoor we veel vaker samen kun-nen zijn." Een vrouw roept vanaf het balkon van een huis naar de meisjes dat het eten klaar is. We zeggen elkaar gedag en ik loop verder naar het centrum van Göreme. Daar is het een grote bedrijvigheid zo aan het eind van de dag als veel toeristen na een drukke dag terugkeren naar hun hotels en pensions.

In het restaurant waar ik naar binnen ga, hangen oude foto's van het dorp, een van een man op een ezel tussen grotwoningen en tuintjes. "Mijn opa", zegt de kelner met zijn vinger wijzend naar de man op de ezel. Vervolgens wijst hij naar een van de huizen op de achtergrond: het oude familiehuis, hetzelfde pand waar nu het restaurant zich bevindt. Hij legt uit dat op de menukaart uitsluitend traditionele *home-style* gerechten staan die zij zelf thuis ook eten. Ik hoef niet lang na te denken wat ik ga bestellen: *fasulye*.

Restaurantmedewerker in Göreme – Foto: Danielle North

Klaske Kassenberg

Hoe 'delicaat' zijn Turkse vrouwen?

Schrijfster Klaske Kassenberg vestigde zich in 2005 in Turkije.
Ze woonde onder andere in Kemer en Kaş en sinds enkele jaren in
Alanya. Wat haar zo inspireert in Turkije, is de culturele diversiteit.
Ook tijdens haar ontmoetingen met vrouwen signaleert ze grote
verschillen. Waar de ene vrouw braaf haar man gehoorzaamt,
bepaalt de ander zelf hoe haar toekomst eruit ziet.

In de bus van Antalya naar Isparta zit ik naast Fatoş. Voor
intercitybussen in Turkije koop je in principe vooraf een kaartje,
waarbij je een stoelnummer toegewezen krijgt. Alleenreizende
vrouwen worden naast vrouwen gezet – bij voorkeur onder het
toeziend oog van de chauffeur, dus zo veel mogelijk vooraan –
en mannen zitten naast mannen meer achterin de bus. Fatoş
spreekt goed Engels en na de gebruikelijke beleefdheidsvragen
van haar kant raken we al snel in een geanimeerd gesprek
verwikkeld. Fatoş is 34 en runt met haar nicht een familiezaak –
een brillenwinkel in Isparta.
Tijdens de reis gaat haar telefoon verschillende malen over,
maar Fatoş neemt niet op. "Mijn moeder", zegt ze na enige tijd
zuchtend. "Mijn tante gaat morgen op pelgrimage naar Mekka
en mijn moeder wil dat ik vanavond naar haar toe ga omdat dit
nu eenmaal traditie is. Maar ik ga niet, ik heb een hekel aan
alles wat moet." Ze zou het liefst stoppen met haar werk in
Isparta, niet zozeer vanwege het werk zelf, maar om onder de
verplichtingen uit te komen die het traditionele familieleven

haar oplegt. Liever nog zou ze naar Europa gaan. Naar Frankrijk, het land van Simone de Beauvoir, die volgens Fatoş zo inspirerend schreef over de rol van de vrouw in haar boek *De tweede sekse*. "Hier in Turkije kan ik mezelf niet zijn, iedereen verwacht van mij dat ik mij conformeer aan de regeltjes. Daar word ik opstandig van. Maar ik heb niet het lef om er ook écht vandoor te gaan. En ik heb er ook het geld niet voor. Tenzij ik natuurlijk trouw met een Fransman", zegt ze met een lachje. "Alles beter dan trouwen met een Turkse man die ik moet gehoorzamen."

Neef en nicht

Hoe anders is het voor de achttienjarige Meryem uit Burdur, een stadje in een provincie ten noorden van Antalya. Haar vader is de *muhtar*, de democratisch gekozen vertegenwoordiger van het stadje, en heeft me uitgenodigd voor haar bruiloft. Het belooft een groots feest te worden. Vandaag is het de eerste dag van het driedaagse feest en Meryem is gehuld in een suikerzoete roze jurk.

Het feest speelt zich op twee plekken in het stadje af: bij het huis van de bruidegom en op de markt, onder een grote overkapping midden in het stadje. Daar zal later op de avond ook gedanst worden. Een enorm tentdoek scheidt de 'feestzaal' in tweeën: een plek voor de mannen en een plek voor de vrouwen. Meryem heeft zich al jaren op deze dag verheugd. Bij een eerder bezoek heeft ze mij haar geborduurde handdoeken, kleedjes en lakens laten zien, haar bruidsschat waar ze aan gewerkt heeft vanaf de dag dat ze de middelbare school verliet. Haar kersverse echtgenoot is een volle neef. Hij en Meryem zijn opgegroeid met het gegeven dat ze zouden trouwen zodra Meryem achttien zou worden. Neven en nichten mogen in Turkije met elkaar trouwen, maar moeten om toestemming te krijgen tegenwoordig de uitslag van een bloedtest kunnen overleggen. Dit om de kans op kinderen met een handicap te verkleinen.

Meryems leven lag al bij haar geboorte vast. Ze is door haar moeder klaargestoomd om de rol van echtgenote en moeder te gaan vervullen. Ze weet precies wat er van haar verwacht wordt. "Eyüp en ik houden van elkaar. We kennen elkaar ook door en door, behalve dat ene dan", zegt ze giebelend. Een baan hoeft ze niet, ze zal meewerken op het land, met de kersenpluk en walnotenoogst. "Mooi toch", zegt ze vergenoegd, "en natuurlijk ga ik ook voor de kinderen zorgen, we willen er vier."

De bruid wordt aangekleed – Foto: Zuryeta/Shutterstock.com

Vrouwvriendelijk stadje

Ayşe (55) en Kerim (59) hebben geen kinderen, het bleek er voor hen niet in te zitten. Ayşe is geboren in Malatya (in het oosten van Turkije), maar heeft gestudeerd in Istanbul en is daar vervolgens op een accountantskantoor gaan werken. Via een collega leerde ze Kerim kennen. Toen ze met pensioen gingen – Kerim na 25 jaar- en Ayşe na 20 jaar werken – verhuisden ze naar Kaş, een pittoresk stadje aan de zuidkust dat ze kenden van hun vakanties.

Kaş is een van de meest geliefde vakantiebestemmingen voor de meer vrijzinnige Turken. Ooit werd de streek bewoond door de sjamanistische Teke, een volk dat mannen en vrouwen als gelijkwaardig beschouwde. Het is alsof dit nog altijd voelbaar is

Ayşe en haar sieradenwinkeltje – Foto: Klaske Kassenberg

in Kaş. Je proeft er de hippiesfeer met barretjes met muziek uit de jaren zestig en zeventig en winkeltjes met alternatieve waar. Ook Ayşe heeft hier een winkeltje. In de wintermaanden werkt ze aan een collectie sieraden die ze in de zomermaanden verkoopt. Kerim gaat trouw elke dag met haar mee, helpt haar met het klaarzetten van alle spulletjes, haalt thee en broodjes en doet boodschappen. Wel mist hij de culturele activiteiten van de grote stad en regelmatig hebben ze er over gesproken om terug te keren naar Istanbul. "Maar", zegt Ayşe, "ik ben gelukkig hier in Kaş, ik voel me hier thuis. Mocht Kerim komen te overlijden, dan kan ik mijn leven hier gewoon voortzetten. Als we in Istanbul zouden wonen, zou dat veel moeilijker voor me zijn. En als ik overlijd, kan Kerim weer naar Istanbul gaan. "

Geen goede partij

De 42-jarige Şengül is niet getrouwd, hoewel ze dat wel gewild had. Ze woont met haar 61-jarige, ziekelijke moeder in hetzelfde appartementsgebouw in Alanya als waar ik woon. Ik zie hen regelmatig samen lopen naar de markt in Oba of Tosmur, naar het winkelcentrum of in het park. Ik ben één keer bij hen thuis geweest. Ik kreeg thee aangeboden met zelfgebakken chocoladecake en *börek*, een hartig gerecht van bladerdeeg. Daar kreeg ik het verhaal van Şengül en haar moeder te horen.

Şengül is korte tijd verloofd geweest met een jongeman die een goede baan had in de makelaardij. Het was echte liefde, ze hadden elkaar ontmoet bij een vriendin van Şengül. Maar Faruk had een nichtje met een handicap en omdat hij als enige in de familie een goede baan had met een vast inkomen, moest hij bijdragen in de kosten voor het gehandicapte nichtje. Het was daarom voor de familie van groot belang dat Faruk zou trouwen met een goede partij, iemand met geld óf met een goede baan. Maar Şengül had geen van beide. Omdat haar vader is overleden, ontvangt ze in principe tot haar dood wezengeld, maar dit vervalt zodra ze trouwt. En omdat ze altijd voor haar moeder gezorgd heeft, heeft ze nooit buitenshuis kunnen werken. Hoe Şengül haar toekomst ziet? Ze haalt haar schouders op en zegt dan: "Gewoon doorgaan met leven, we maken er samen wat van." En geeft haar glimlachende moeder vervolgens een klopje op haar hand. Ze is even stil en vervolgt dan: "Wij hebben altijd in Alanya gewoond, mijn moeder wil hier niet weg. En als zij er niet meer is, wat kan ik dan anders dan mijn leven hier voortzetten?"

Emancipatie Turkse vrouwen verloopt moeizaam

Atatürk heeft veel voor de vrouwen van zijn land gedaan. Hij gaf ze onder andere stemrecht en stimuleerde het onderwijs voor meisjes. Atatürk adopteerde dertien kinderen: twaalf meisjes en één jongen. Zijn oudste adoptiefdochter Sabiha werd beroemd als eerste vrouwelijke gevechtspiloot ter wereld en was een waar voorbeeld voor de moderne, jonge Turkse vrouwen. De emancipatie van de vrouw verloopt in Turkije ondanks de inspanningen van Atatürk vrij moeizaam. Momenteel heeft slechts één op de vier vrouwen een baan buitenshuis en ongeveer 15 procent van de vrouwen is analfabeet (tegenover 5 procent van de mannen). Hoewel de regerende AK-partij de wettelijke positie van de vrouw heeft verbeterd – vrouwen hebben dezelfde rechten als mannen – klinkt de boodschap

die de heren regeerders tegenwoordig uitdragen heel anders.
Vrouwen hebben een belangrijke taak als huismoeder, voor
werk buitenshuis zijn ze minder geschikt, onder andere vanwege hun 'delicate postuur', zoals president Erdoğan het
verwoordde.
Daarnaast is het voor vrouwen lastig om de zorg voor het gezin
en werk buitenshuis te combineren omdat je in Turkije vrijwel
geen parttime banen hebt. Bovendien is kinderopvang duur
en de ouderen- en gehandicaptenzorg zijn (nog) niet goed
ontwikkeld.

Slechts een op de vier Turkse vrouwen werkt buitenshuis – Foto: Paul Prescott/Shutterstock.com

De boottocht vanuit Dalyan voert langs de rotsgraven van Kaunos – Foto: Evren Kalinbacak/ Shutterstock.com

Ellis Flipse

Genieten van bijeneters en ijsvogels

Afgelopen decennia heeft het toerisme aan de west- en zuidkust van Turkije zich razendsnel ontwikkeld. Hotels en restaurants schoten als paddestoelen uit de grond. Op veel plaatsen moesten flora en fauna wijken voor economische groei. Maar gelukkig niet overal. Zo gelden in de rivierdelta bij Dalyan strikte regels ter bescherming van het natuurgebied.

Mijn ogen tranen van het gapen. Het is zes uur en nog donker. Naast mij stapt John energiek voort. Geen tijdstip is te vroeg voor zijn grote passie: vogels spotten. Vorige week, tijdens een wandeling met mijn hond Dorcas, ontmoette ik hem in het dorp waar ik woon. Elk jaar verblijft hij hier ongeveer een maand. Hij huurt een oud, leegstaand, uit leem opgetrokken huis, gaat er met een bezem door en rolt zijn slaapmat uit. Voor hem is het de ideale manier om bij te komen van zijn drukke baan als financieel directeur van een internetbedrijf. Geen telefoon, geen e-mail, maar leven in de natuur. Voor mij, als een van de weinige buitenlanders in dit dorp, is het prettig om eens een ander gezicht te zien. Omdat hij zo enthousiast vertelde over 'zijn' vogels vroeg ik of ik een ochtend met hem op pad kon. Een goed idee, vond John, want het is precies de juiste tijd om de overtrekkende bijeneters te zien.

Over de onverharde weg verlaten we het dorp Çandır en lopen richting de antieke stad Kaunos. Eeuwenlang, vanaf de negende eeuw voor onze jaartelling, was dit een belangrijke havenstad aan de Middellandse Zee. Totdat malaria de bevolking verdreef en de haven vervolgens dichtslibde. Hoewel malaria hier nu vrijwel niet meer voorkomt, staat de regio nog steeds bekend om de vele muggen. Het gebied is warm, waterrijk en vochtig en daarom het gehele jaar vruchtbaar.

In dit deel van Turkije heerst een mediterraan klimaat en er is volop zoet water aanwezig. Dat zorgt voor een grote verscheidenheid aan bomen, gewassen, planten en dieren. Zoals de amberboom, die alleen in dit deel van het land voorkomt. Deze boom was al in de oudheid populair vanwege de hars die werd gebruikt als basis voor parfumolie en wierook.

In de uitgestrekte bergen die achter Çandır oprijzen, leven vossen, zwijnen, dassen, lynxen en zelfs een enkele beer. De rivier die langs het dorp door kilometersbrede moerasachtige rietvelden richting zee slingert, maakt het gebied ook tot een geliefd oord voor vogels.

Ongeschonden

We bevinden ons aan de 'rustige' kant van de rivierdelta, met aan de overkant het toeristische Dalyan. Deze kant is relatief ongeschonden. Geen hotels, druk verkeer of protserige toeristenvilla's met chloorzwembad. Hier zien we vooral traditionele Turkse erfjes, met elkaar verbonden door olijf-, granaatappel- en citrusgaarden. De afscheidingen bestaan uit schijnbaar lukraak op elkaar gestapelde takken met lange stekels. "Om de wilde zwijnen buiten te houden", zo weet John. Hier en daar staat een traditioneel, witgekalkt huis met dakpannen, de muren rondom de binnenplaats vol vierkante olijfolieblikken met bloeiende planten en bloemen.

Omdat ik onderweg volop geniet van de omgeving, heb ik wat moeite mijn 'vogelgids' bij te houden. Met zijn vijfenvijftig jaar lijkt John fitter dan ik, terwijl hij toch tien jaar ouder is. Maar dan staat hij plotseling stil. Via echo's klinken de verschillende gebedsoproepen vanuit alle moskeeën in de omgeving. Even later kijken we naar de prachtige zonsopgang. Dan lopen we verder, naar een hoger gelegen punt. Vanaf hier kunnen we het gehele gebied overzien. Na twintig minuten: "Luister!" Vanonder zijn groene vilten hoed kijkt John mij serieus aan. Ik moet een beetje lachen. John is een markante verschijning, met zijn statief achteloos over de schouder en twee verrekijkers rond zijn nek.

Foto: Ellis Flipse

Slimmeriken

Ondertussen is het helemaal licht. De lucht vult zich met het hoge schrille geluid van talloze vogels. "De bijeneters zijn wakker", zegt John, en hij wijst met zijn handen. Meer en meer vogeltjes lijken uit het niets te verschijnen. Behendig vliegen ze kriskras door elkaar. De borstjes en vleugels

Visval in rivierdelta bij Dalyan – Foto: Ellis Flipse

turkoois, overgaand in bruin. De staart blauwgroen, de rand van de vleugels lijkt zwart. Een wit voorhoofd, zwarte oogstreep en een gele keel. Ik kijk mijn ogen uit. "In april komen ze langs, op weg naar hun broedplekken in – vooral mediterraan – Europa, en in september weer, op terugreis richting hun overwintering in Afrika." Ze blijven hier hooguit een dag, begrijp ik van John. Volgens zijn tellingen komen er op deze plek in een paar weken meer dan tweeduizend voorbij.

Omdat ik weet dat in deze regio veel honing wordt geproduceerd, ligt mijn vraag voor de hand: "Eten bijeneters werkelijk bijen?" En inderdaad, aldus John: "Ze eten soms wel tweehonderdvijftig bijen per dag." De slimmeriken verwijderen de angel door de bijen met de snavel tegen een tak of steen te wrijven, zo leer ik. We observeren en praten. Plotseling lijkt het alsof iemand ergens een startsein heeft gegeven. Binnen een mum van tijd zijn alle vogels over de bergrug verdwenen.

Broedplaats

John en ik lopen verder, op zoek naar andere vogels die het gebied rijk is. We lopen door laag struikgewas, met hier en daar een boom, terug naar beneden richting rivierdelta. John vertelt dat het Köyceğiz Meer, de rivierdelta van Dalyan en het 'schildpaddenstrand' waar de delta op uitkomt, al zeker vijftien jaar beschermd natuurgebied zijn. Ooit waren er plannen voor enorme hotels op het strand. Maar omdat het strand een broedplaats is van de zeeschildpad, de Caretta caretta, werd dat voorkomen. Het lobbywerk van natuurbeschermers voor de steeds zeldzamer wordende Caretta trok internationale aandacht. Het kunstlicht van hotels of andere horeca zou de dieren afschrikken waardoor ze hun nesten zouden verlaten. Sindsdien wordt het gebied beschermd. Op het strand is bouwen niet toegestaan en alleen tijdens daglicht zijn toeristen welkom. Ook mag er in de regio maximaal tweehoog worden gebouwd.

Schreeuwarend

Eenmaal beneden, bij Kaunos aangekomen, zet John zijn statief met kijker op. Hij tuurt aandachtig in het rond. We zien verschillende vogels, zoals de wielewaal, de roodkopklauwier en de grauwe vliegenvanger. "Kijk!" Hij wijst. Een grote roofvogel cirkelt boven onze hoofden. "Een schreeuwarend. Wist je dat deze jongens slangen eten?" We zien hoe de arend de opgraving afspeurt voor een maaltijd. De rover houdt het na enige tijd voor gezien en gaat al cirkelend op de thermiek hoger en hoger tot hij geheel uit het zicht verdwenen is.

En verder wandelen we, via het opgravinggebied van Kaunos, richting de waterkant waar de rietvelden en de delta weer beginnen. Van verre zien we kleine witte reigers, die op hoge

De deftige Kwak · Foto: Ellis Flipse

poten staan te vissen. Zelf zie ik hier, als ik aan het zwemmen
ben, vaak de Kwak, een gedrongen reigerachtige. Die kijkt dan
altijd als een deftige heer vanuit het riet naar mijn, in zijn ogen,
rare verschijning.

We gaan aan de oever zitten, op een aangespoelde oude
boomstronk. Het water is zo glad als een spiegel. Prachtig. Later
op de dag, halverwege de middag, komt er altijd wind en is het
betoverende effect weg. Uit mijn rugzak haal ik brood en wat
te drinken. Mijn blik valt op een kleine vogel die rakelings over
het water scheert. Vlakbij, op een rietstengel, strijkt de vogel
neer. Ik heb al eerder ijsvogels gezien, maar nooit eerder landde
er een zo dichtbij. Ik durf me niet te verroeren, en ook John zit
doodstil. Samen kijken we uit over het moerassig gebied dat
ooit de haven van Kaunos was en genieten van de stilte en de
kleuren van deze koninklijke vogel.

Grand Bazar Istanbul – Foto: Peter de Ruiter

Reisinformatie

Ambassades en consulaten

Ambassade van Turkije

Jan Evertstraat 15, 2514 BS Den Haag, T: 070-360 4912,
I: *www.lahey.be.mfa.gov.tr*

Consulaat-generaal van Turkije

Montoyerstraat 4, 1000 Brussel, T: 02-548 9340,
I: *www.bruksel.bk.mfa.gov.tr*

Ambassades in Turkije

Van Nederland: Hilal Mh., Turan Gunes Blv, Hollanda Cad. No. 5,
Ankara, T: +90 312 409 1800, I: *http://turkije.nlambassade.org*.
Van België: Mahatma Gandhi Cad. No.55, Gaziosmanpaşa, Ankara,
T: +90 312 405 6166, I: *http://diplomatie.belgium.be/turkey*.

Communicatie

Bijna iedereen in Turkije heeft tegenwoordig een mobiele telefoon
(cep). Het gebruik is de laatste jaren wel aan banden gelegd en op
verschillende plaatsen, bijvoorbeeld in auto's, bussen, tram en metro,
verboden. Dit in verband met geluidsoverlast en gevaar op de weg. Wil
je met je mobiel telefoneren, informeer dan voor vertrek of je provider
een overeenkomst heeft met een Turkse maatschappij en wat de kosten
zijn. Een uitgebreid overzicht van kosten per provider vind je op *www.
vakantiebellen.com*. Belangrijke Turkse mobiele telefoonmaatschap-
pijen zijn Turkcell, Aycell Aria en Telsim Mobil Telekomuniksyon. Zij
hebben roaming overeenkomsten met Europese providers. Het internationale landennummer van Turkije is +90, dat van Nederland +31 en
van België +32. In enkele afgelegen gebieden, bijvoorbeeld in delen van
Cappadocië en Oost-Turkije, is geen mobiel bereik.

De meeste hotels en toeristencafés hebben WiFi waar je met smart-
phone, iPad of laptop gratis kunt e-mailen, whatsappen, bloggen,
facetimen of skypen. Ook vind je in wat grotere plaatsen en toeristen-
plaatsen internetcafés.

Documenten
Alle Nederlanders en Belgen die Turkije bezoeken (dus ook kinderen!)
dienen over een eigen ID of paspoort te beschikken. Daarnaast heb
je een e-visum nodig dat verkrijgbaar is via *www.turkijevisum.nl*. De
kosten daarvan bedragen 25 euro. Het paspoort of ID dienen na afloop
van de visumperiode nog minstens 60 dagen geldig te zijn.

Douane
Volwassen personen mogen belastingvrij 200 sigaretten, 50 sigaren of
200 gram tabak mee naar Turkije nemen. Dure voorwerpen (sieraden en
ongewoon dure fotoapparatuur of elektronische apparaten) worden bij-
geschreven in je paspoort, als garantie dat je ze ook weer mee het land
uitneemt bij vertrek. Invoer, gebruik en handel van marihuana en andere verdovende middelen is strikt verboden en wordt zwaar bestraft.
In Turkije is veel nepmerkkleding op de markt. De uitvoer hiervan naar
Nederland en België is officieel verboden. Vooral als het een groter
aantal stuks betreft dan voor persoonlijk gebruik mag worden aangeno-
men, kun je in de problemen komen. Voor de uitvoer van een duur tapijt
heb je een bewijs van aankoop nodig en voor oude spullen een certifi-
caat van de directie van een museum. Uitvoer van antiek is verboden.
Je mag belastingvrij tot een waarde van 430 euro mee naar huis nemen.
Op de app 'Douane reizen' kun je vooraf berekenen of je belasting moet
betalen voor producten die je meeneemt. Met de app kun je ook foto's
van de aankoopbonnen bewaren. Zie: *www.douane.nl/reizigers*.

Elektriciteit

De netspanning in Turkije is 220 Volt. Stopcontacten zijn meestal hetzelfde als in Nederland of België. Soms valt het licht uit of is er weinig
straatverlichting. Het is raadzaam om een zaklamp mee te nemen.

Eten en drinken

Het ontbijt bestaat uit brood waarbij witte geitenkaas, olijven, boter,
jam en soms eieren en vleeswaren worden geserveerd. Is er in je hotel
geen *kahvaltı* (ontbijt) te krijgen, dan vind je in de buurt meestal wel
een *pastane* (banketbakker) of *lokanta* (zelfbedieningsrestaurant) waar
men een ontbijt serveert.

De Turkse keuken is beroemd om haar verfijnde spijzen, al bieden de
doorsnee *restorans* en lokanta's veelal een standaard assortiment aan
van lams- of schapenvlees, gevulde of gestoofde groentes, vers brood
en *pilav* (rijst) of *bulgur* (gebroken tarwe).Wel heeft iedere streek haar
eigen specialiteiten. Bij een *kebap salonu* bereidt men vleesgerechten
aan het spit. Je kunt kiezen uit allerlei soorten kebab: *sish kebab* (een
spies met stukjes geroosterd lamsvlees), *doner kebab* (schapenvlees
aan een spit), *adana kebab* (sterk gekruid geroosterd vlees), *köfte*
(gehaktballetjes) en *shaslik* (spies met stukjes rund- of schapenvlees
waar ook uien, stukjes nier en lever tussen zitten). In veel restaurants
kun je ook *tavuk* (kip) en *balik* (vis) bestellen. Een maaltijd wordt afge-
sloten met een dessert. *Tatlilar* (toetjes) zijn zoet (vaak druipend van de
honing) en bestaan uit een combinatie van vruchten, noten en gebak,
zoals de *baklava*.

De nationale drank is *çay* (thee). Thee wordt geserveerd in kleine
glaasjes op een schoteltje. *Türk kahvesi* (Turkse koffie) wordt gedronken uit kleine kopjes met veel drab erin, die eerst moet bezinken. In
veel restaurants wordt in plaats van Turkse koffie ook wel oploskoffie

geserveerd. In grotere steden vind je internationale koffieketens zoals
Gloria Jean's. Hoewel alcohol voor de meeste moslims officieel verboden
is, nemen veel Turken het daarmee niet zo nauw. Bier, wijn en *rakı* zijn
in de wat duurdere restaurants vaak gewoon verkrijgbaar. Rakı is een
sterk alcoholische anijsdrank, die uit druiven wordt gedestilleerd. Deze
wordt puur gedronken of aangelengd met water. Frisdrank is overal
goed verkrijgbaar. Je kunt beter geen water uit de kraan drinken, mine-
raalwater is bijna overal te koop.

Feestdagen

Feestdagen in Turkije zijn te verdelen in nationale en religieuze
feestdagen. Belangrijke nationale feestdagen zijn: Nieuwjaarsdag
(1 januari); Onafhankelijkheids- en Kinderdag (23 april); Herdenkings-
feest Atatürk, en Jeugd- en Sportdag (19 mei); Dag van de Overwinning,
herdenking van de Turks-Griekse onafhankelijkheidsoorlog van 1922
(30 augustus); Dag van de Republiek, herdenking oprichting van de
Republiek Turkije (29 oktober).
Onder Atatürk werd in Turkije de islamitische kalender vervangen door
de Gregoriaanse, die in het Westen gangbaar is. Van de islamitische
feestdagen bleven alleen de belangrijkste twee: *Ramazan Bayramı*
(Suikerfeest) en *Kurban Bayramı* (Offerfeest) als officiële feestdagen
gehandhaafd. Omdat deze oorspronkelijk zijn verbonden met een
maanjaar, schuiven de data van deze islamitische feestdagen ieder jaar
10 à 11 dagen naar voren op de westerse kalender, die is gebaseerd op
de zon. De vastenperiode valt de komende jaren in het begin van de
zomer. Zeker in de toeristische gebieden zul je daar weinig van merken.
Maar in grote steden als Istanbul, Ankara en het oosten van Turkije kan
een verblijf tijdens de maand ramadan juist een bijzondere belevenis
zijn. Overdag, tussen zonsopgang en -ondergang zijn sommige eetge-
legenheden gesloten en ligt het levenstempo wat lager. Maar na het

breken van de vasten is het overal op straat een drukte van jewelste, worden de lekkerste gerechten bereid en heerst een heel bijzondere, feestelijke sfeer. Indien je in wat conservatievere gebieden verblijft waar veel mensen vasten verdient het aanbeveling enige discretie in acht te nemen bij het eten en drinken in het openbaar. Musea, banken en winkels zijn tijdens ramadan gewoon open. De data van islamitische feestdagen vind je onder andere op *www.beleven.org/feesten*.

Fooien

In de wat duurdere restaurants krijg je de rekening op een schoteltje aan tafel gepresenteerd. Al zijn de servicekosten bij de prijs inbegrepen, een fooi van 10 procent is gebruikelijk. In eenvoudiger lokanta's is het gebruikelijk om af te rekenen bij een persoon achter de toonbank, meestal bij de ingang. Daar staat meestal ook een pot voor fooien. Eventueel kun je wat geld achterlaten op tafel.

Het personeel dat je in Turkije tegenkomt in je hotel, bij de kapper of in het badhuis, verwacht voor bewezen diensten een fooi. Datzelfde geldt voor gidsen en reisbegeleiders. Taxichauffeurs verwachten een fooi als ze iets extra's hebben gedaan zoals het sjouwen van je bagage of het wijzen van de weg.

Fotograferen en filmen

Over het algemeen vinden Turken het geen probleem om gefotografeerd te worden. Maar vraag vooraf altijd eerst om toestemming. Het is verboden om strategische objecten als vliegvelden en kazernes te fotograferen.

Geld

De Turkse munteenheid is de Turkse lira (TRY). Kijk voor de actuele wisselkoers op: *www.wisselkoers.nl*. In vrijwel elke plaats van enige omvang vind je pinautomaten. Neem voor de zekerheid ook een bedrag aan contante euro's mee voor het geval de automaten defect zijn. Je kunt je euro's wisselen in een van de vele geldwisselkantoortjes (*döviz*). Creditcards zoals VISA, American Express, Eurocard/ Mastercard en Diners Club worden op veel plaatsen geaccepteerd.

Gezondheid

Voor een bezoek aan Turkije zijn vaccinaties niet verplicht. Toch worden ze beslist aangeraden. Voor de actuele stand van zaken verwijzen we naar *www.lcr.nl*, de website van het Landelijk Coördinatiecentrum Reizigersadvisering (LCR) dat de richtlijnen uitgeeft voor vaccinaties en preventie van malaria. In België vind je vergelijkbare informatie op *www.itg.be*, de website van het Instituut voor Tropische Geneeskunde in Antwerpen. Voor advies op maat wordt aangeraden vier tot zes weken voor vertrek contact op te nemen met je huisarts, *thuisvaccinatie.nl*, GGD of Tropenadviescentrum. Laat altijd de geplande reisroute zien. De gezondheidsvoorzieningen zijn redelijk goed in Turkije, al is er een fors verschil tussen het oosten en het westen van het land. Er zijn voldoende artsen en overal vind je *eczane's*, apotheken, met een ruim assortiment aan geneesmiddelen. Naast staatsziekenhuizen (*devlet hastanesi*) zijn er in de steden en badplaatsen ook privé-klinieken (*özel hastane*) waar de artsen veelal redelijk Engels of Duits spreken. Voor verdere informatie, kijk op *www.gezondopreis.nl*.

Klimaat

In Turkije komen verschillende klimaatzones voor. In Centraal- en Oost-Anatolië heerst een steppeklimaat met hete, droge zomers en strenge winters. Het klimaat aan de Zwarte Zee is mediterraan, met de kenmerken van een zeeklimaat: het landschap is er groen door de vele regen die er valt. In Istanbul kan het in de zomer flink warm en benauwd zijn, maar het gebied heeft ook relatief veel bewolkte en regenachtige dagen. En voor wie wil (zonne)baden: de kusten van de Egeïsche- en Middellandse Zee garanderen van de lente tot de herfst veel zonneschijn. De beste reistijd is het voorjaar (april tot en met juni) of het najaar (september en oktober).

Omgangsvormen

In Turkije verschillen de omgangsvormen per regio. In steden als Ankara, Istanbul en Izmir en aan de kusten van de Egeïsche- en Middellandse Zee, is men redelijk gewend aan westerse omgangsvormen. Maar in het meer traditionele Oost-Turkije is dat allerminst het geval. Houd daar bij de keuze van je kleding rekening mee.

Openingstijden

Banken zijn van maandag tot en met vrijdag geopend van 8.30 tot 12.00 uur en van 13.30 tot 17.00 uur. Op internationale vliegvelden zijn de banken langer open. De grote postkantoren zijn doorgaans geopend van maandag tot en met zaterdag van 8.00 tot 17.30 uur. Winkels zijn officieel geopend van maandag tot en met zaterdag van 9.30 tot 19.00 uur. Maar in de praktijk hanteren veel winkels ruimere openingstijden. De meeste musea zijn op maandag dicht. Enkele uitzonderingen hierop zijn het Topkapı Paleis in Istanbul, dat op dinsdag sluit, en het Mevlana Museum in Konya, dat elke dag open is. Archeologische bezienswaardigheden zijn in het toeristenseizoen elke dag geopend.

Souvenirs

In bazaars en souvenirwinkels vind je een ruim assortiment aan tapijten, geglazuurd aardewerk, onyx voorwerpen, waterpijpen, sieraden van goud of zilver, lederwaren e.d.. Ook worden er veel nagemaakte merkartikelen aangeboden zoals parfums en kleding.

In supermarkten en warenhuizen gelden vaste prijzen, terwijl in souvenirwinkels en op markten afdingen gebruikelijk is. De prijs die verkopers in eerste instantie vragen kan soms vele malen hoger liggen dan de 'normale' verkoopprijs. Als je niet tot een overeenkomst over de prijs kunt komen, stap je gewoon op.

Tijdsverschil

In Turkije is het in de winter en zomer één uur later dan in de Benelux.

Transport

Het openbaar vervoer in Turkije is uitstekend. Er bestaat een zeer uit-gebreid net van snelle en goedkope busverbindingen tussen de grotere plaatsen in het hele land. De luxe touringcars zijn comfortabel en rijden meestal op tijd. Het is aan te raden ongeveer een dag van tevoren zit-plaatsen te reserveren bij een van de verkoopkantoren in de stad of op de *otogar* (intercitybusstation). Zint de vertrektijd je niet, informeer dan bij een andere maatschappij, hoewel de keuze in het oosten van het land vaak beperkt is. Voor korte afstanden is er de *dolmuş*, een goed-kope manier van vervoer. Deze taxibusjes danken hun naam aan het feit dat ze van oudsher vertrokken zodra alle plaatsen bezet waren (*dolmuş* betekent 'gevuld'). In het oosten van Turkije is dat soms nog steeds zo, in het westen rijden ze vaker volgens een strak tijdschema. Het prettige van deze busjes is dat ze onderweg op veel plaatsen stoppen. In het westen van Turkije stoppen de busjes bij officiële dolmuş-haltes, die te herkennen zijn aan een bord met daarop een grote 'D'. In het oosten van Turkije wil men die nog wel eens negeren en wordt overal gestopt waar iemand het busje in- of uit wil stappen. De tarieven worden door de gemeente vastgesteld en de busjes rijden volgens vaste routes. In grotere steden kun je naast de dolmuş, ook gebruik maken van stads-bussen, tram en/of metro. Wanneer je een taxi neemt, zorg er dan voor

Taxi's in Istanbul – Foto: Guvendinneden/Shutterstock.com

dat de meter aanstaat. De chauffeurs zijn daartoe verplicht (hoewel in het oosten van het land taxi's soms geen meter bezitten). Met één brandend lampje geldt het dagtarief (*gündüz*) en bij twee lampjes wordt het nachttarief berekend. Het nachttarief is vijftig procent duurder en geldt van 24.00 tot 6.00 uur. Taxi's zijn te herkennen aan hun gele kleur. Vervoer per trein is in de meeste gevallen goedkoper dan per bus, maar een stuk langzamer, zelfs als je met een *ekspres* reist. Een uitzondering is de hogesnelheidstrein tussen Ankara en Istanbul die er 3,5 uur over doet. Actuele informatie is te vinden op de (ook Engelstalige) website van de Turkse Spoorwegen, TCDD: *www.tcdd.gov.tr.*
Voor grote afstanden is het vliegtuig een goed alternatief. *Turkish Airlines* (THY) en enkele particuliere maatschappijen onderhouden regelmatige verbindingen tussen tal van steden in Turkije.

Tijdsverschil
In Turkije is het in de winter en zomer één uur later dan in de Benelux.

Veiligheid

Turkije is een redelijk veilig land om in te reizen. Maar met de groeiende kloof tussen arm en rijk, mede door de vluchtelingenproblematiek in de regio, en de groeiende stroom toeristen neemt de kleine criminaliteit in toeristische gebieden en grote steden toe. Let vooral op bij drukke markten, stations en bij het in- en uitstappen van het openbaar vervoer. Geld en belangrijke papieren kun je beter op je lichaam dragen, bijvoorbeeld in zakjes aan de binnenkant van je kleding of in een geldbuidel. Stop een klein geldbedrag in je portemonnee zodat je niet al je geld kwijt bent als je zakken worden gerold. Laat geen geld of kostbare zaken slingeren in de hotelkamer. Draag foto- en filmapparatuur in een tas of rugzak, en loop niet te koop met sieraden. Maak een scan van je belangrijke reisdocumenten zoals paspoort, visa, vliegtickets en verzekeringspapieren en mail deze naar jezelf, zodat je er in elk willekeurig internetcafé over kunt beschikken.

Actuele reisadviezen over Turkije vind je op *www.rijksoverheid.nl/ministeries/bz* (kijk onder reisadvies Turkije) of *http://diplomatie.belgium.be*. Het ministerie van Buitenlandse Zaken heeft de app 'BZ Reisadvies' beschikbaar. Er is zowel een versie voor Android, iPhone als iPad.

Websites

- *www.welkominturkije.nl* Website van het Turks Verkeersbureau.
- *www.turkeytravelplanner.com* Bevat goede reisadviezen.
- *http://turkije.startpagina.nl* Handige startpagina.
- *www.turksnieuws.nl* Nederlandstalige website met nieuws over Turkije.
- *www.hurriyetdailynews.com* Engelstalige Turkse krant.
- *www.turkije-instituut.nl* Informatie van het Turkije-instituut in Den Haag.

 Samenstelling: Heleen van der Linden.
Update: Kees van Teeffelen.
Zie ook *www.tegastin.nl/land/turkije*

Woordenlijst

De officiële taal van Turkije is het Turks. Het is de taal waarin op de openbare scholen onderwezen wordt. In het zuidoosten spreken veel mensen ook een Koerdische taal en de oudste generatie spreekt soms nog Arabisch. Sinds kort zijn taalcursussen, televisie-uitzendingen, radio en muziek in Koerdische talen toegestaan. In steden en in toeristische gebieden spreekt men meestal wel wat Engels of Duits. Bovendien is de kans groot dat je aangesproken wordt in het Duits of Nederlands door (ex) gastarbeiders of kinderen daarvan. Het is aan te raden om enkele woorden of zinnen Turks te leren. De mensen waarderen dit zeer.

Hallo
Merhaba

Goedemorgen
Günaydın

Goedenavond
Iyi akşamlar

Goedenacht/ welterusten
Iyi geceler/iyi uykular

Dank u wel
Teşekkür ederim

Alstublieft (bij vraag)
Lütfen

Wat is uw naam?
Adınız ne?

Mijn naam is Anton
Adım Anton

Tot ziens (als u weggaat)
Allaha ısmarladık

Tot ziens (als u achterblijft)
Güle güle

Ja/ nee
Evet/hayır

Oké
Tamam

Ik heb het (niet) begrepen	1	*bir*
Anla(ma)dım	2	*iki*
	3	*üç*
Waar is het...?	4	*dört*
... nerede?	5	*beş*
	6	*altı*
Ziekenhuis/ apotheek/ postkantoor	7	*yedi*
Hastane/eczane/postane	8	*sekiz*
	9	*dokuz*
Geopend / gesloten	10	*on*
Açık /kapalı	11	*on bir*
	20	*yirmi*
Een goed hotel/ restaurant	30	*otuz*
İyi bir hotel/lokanta	40	*kırk*
	50	*elli*
Busstation/ treinstation/ vliegveld	60	*altmış*
Otogar/istasyon/hava llmamı	70	*yetmiş*
	80	*seksen*
Ik wil...	90	*doksan*
... istiyorum	100	*yüz*
	200	*iki yüz*
Een kamer met douche/ toilet	1000	*bin*
Duşlu/tuvaletli bir oda	2000	*iki bin*
	10000	*yüz bin*
	1000000	*milyon*

Uitspraakregels:
c [dj], ç [tsj], ö [eu], ş [sj], u [oe] en v [w]. g als in het Engelse 'gold' en ı als in ze.
ğ is een 'zachte g', en in uitspraak afhankelijk van de omliggende medeklin-
kers. De klemtoon van woorden ligt vaak op de laatste lettergreep.

Verdere informatie

Boeken
- *Mensenlandschappen*, Nâzim Hikmet. Indrukwekkend epos over de Turkse bevrijdingsstrijd geschreven door de grootste dichter die Turkije heeft gekend (De Geus).
- *Sneeuw*, Orhan Pamuk. Prachtige roman die zich afspeelt in Kars, in het noordoosten van Turkije. Van Pamuk zijn nog tal van andere romans vertaald zoals *Ik heet Karmozijn*, *Het huis van de stilte* en *Istanbul* (De Bezige Bij).
- *De bastaard van Istanbul*, Elif Shafak. Jonge vrouw, die opgegroeid is in de VS, gaat in Istanbul op zoek naar haar Armeense identiteit (De Geus).
- *Kleine Memed*, Yasar Kemal. Auteur hekelt in deze roman de feodale toestanden in Anatolië (De Geus).
- *Vaarwel Istanbul*, Ayşe Kulin. Roman over liefde en strijd in de nadagen van het Osmaanse rijk (De Geus).
- *Turkse vlinders*, Stine Jensen. Journaliste raakt verliefd op Turkse kapper (Prometheus).
- *De Nederlandse bruid*, Jessica Lutz. Thriller over jonge Nederlandse vrouw die zich met haar Turkse man in een dorp in Oost-Turkije vestigt (De Geus).

Films
- *Winter sleep* (2014, regie: Nuri Bilge Ceylan). Fascinerende film die zich hartje winter afspeelt in Centraal-Anatolië.
- *Once upon a Time in Anatolia* (2011, regie: Nuri Bilge Ceylan). De cinematografie is adembenemend in deze film die zich in nachtelijk Anatolië afspeelt.
- Gonül Yarasi (2005, regie: Yavuz Turgul). Intens drama rond spannende driehoeksverhouding.